★この作品はフィクションです。実在の人物・
団体・事件などには、いっさい関係ありません。

JUMP COMICS

せんしゅせいめい
選手生命

SLAM DUNK
スラム ダンク

30

いのうえたけひこ
井上雄彦

登場人物紹介

桜木花道

本編の主人公
晴子に恋焦れるお調子者
湘北高1年生

赤木晴子

湘北高1年生
流川楓に片思いの
女の子
赤木剛憲の妹

赤木剛憲

湘北高3年生
バスケット部キャプテン
バスケットに入れ込む熱意
はすさまじいもの
がある

流川　楓

湘北高1年生
中学時代からバスケットの
スタープレーヤー
湘北高女生徒の憧れの的

前巻までのあらすじ

中学3年間で50人もの女性にふられ続けた桜木花道は、赤木晴子に近づくため誘われるままにバスケット部に入った。バスケ部員は全国制覇に向け練習に励むが、桜木ひとり、基礎練習ばかりで不満一杯だった。

県大会を勝ち進み、決勝リーグに進出した湘北高は、海南大付属には破れたものの宿敵陵南を破り、海南大付属とともに全国大会出場を決めた。

全国大会に向けて、桜木の猛特訓が始まり、2万本のシュートをうち続けた。

二回戦で湘北は、日本高校界の頂点に君臨する山王工業と対戦することになった。後半、山王のエース沢北はまざまざと実力をみせつけるが、かえって流川は闘争心を燃え上がらせた。そして、流川の活躍により、湘北は山王を追いつめる!!

SLAM DUNK

スラムダンク

VOL.30

選手生命

CONTENTS

スウィッシュ SWISH

カッ

……

オフェンス!!
チャージング!!

ド
なぬ!?
…………
よオオ──し!!
はっ はあ
おっつ…
はっ はあ
うおお いいぞ桜木ィ!!
あと少しコースに入るのが遅れてたらディフェンスファウルだったけど

はっ
はっ
はっ
おめーが抜かれる事くらい計算済みって事だ ルカワ

あんだと?
何だその手は
はっ
はっ

ほっ…
よかった…やったぜ…!!
やった…

#261 SWISH

はあ
わかったか
はあ
これでおめーに借りはなしだ!!
フン
心おきなくヤマオーを倒す!!
よォーーし行けえっ!!
時間がないぞ!!
おおお

この1本絶対とれーーっ!!

バカタレ
黙って隠れさす
奴がいるか!!
ばちーーん
ゴムェン
兄ちゃん

流川が いよいよ
のってきてる…
しかも 今までの
あいつとは ちょっと違う

いいぜ
…存分にやれ
流川!!

!!

オオ
おおっ
両チームとも
エースで
ガンガン
来てる
ぞっ!!

あの「どあほう」ですら
オレがパスすると
思ってやがった
なら沢北の頭にも
パスが絶対…

…刻まれてるはずだ

………
はあはあ
はあ
はっ
はっ

いくつかの選択肢があってこそDは迷う
フェイクにもかかる!

むっ!!

あめーよ
2度も
抜かせるか!!
ダン
!!
パスッ!!
あ!!

バッ
バッ

バッ
チンー
!!
あ!!

バッ
SHOHOKU
4
山王
バシッ
ダム
4

パサ
湘北 (神奈川)
3:36
山王工業 (秋田)
SEIKO
61
2ND
74
よオし!!
はぁ, はっ
はっ
ぜっ ぜ
ぜっ
へへ……やっぱ さっきのスリーが効いてたか…
松本め アワくって 止めに 来やがった
SHOHOKU
14
山王工高
6

もう　オレは
腕も上がんねー
のによ……
へへへ…
ぜえっ
ぜっ
ぜえ
ぐふ
ぜっ
ぜ
ピク
!!

くそっ
やっぱり…
もう　あいつ
限界は　とっくに
……!!
はっ
はっ
はっ

……

……

…………
ゴクリ…

残り
3分半…
湘北
(神奈川)
3:32
SEIKO
2ND
61
13点!!

オレが監督なら——
はあ
はあ
はあ
はあ
丸男のマークはこの天才桜木——
格が違う!!
ぽっん
負けるとわかってる丸男にはパスは来ねえ

小坊主で勝負だ

何度ルカワがブザマに抜かれた事か!!
もはや勝てるとわかっている小坊主にガンガンやらせるに限る!!

…………

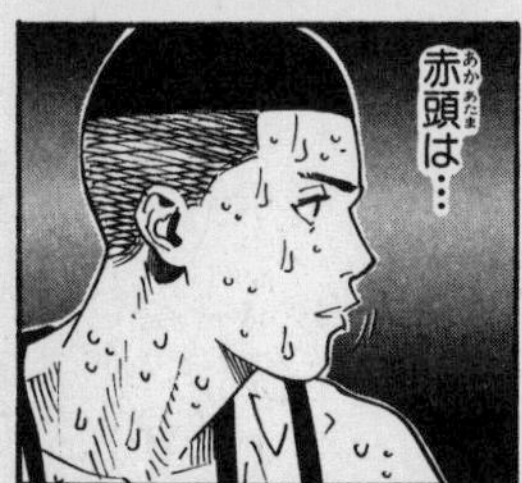
赤頭は…

!!
びくっ
SHOHOKU
10
SHOHOKU
11
9

油断!!

あっ!!
ぬ?
SHOHOKU
10
速攻っ!!
11

よし来い!!

来い!!

来いーーっ!!

!!

うっ!!

あ!!

奴はうてねえ!!
そんなタマじゃねーよな
そのシュートは

今までよりも
高く
美しい弧を
描いた
はっ
はぁ
静かにしろい
この音が……
ぜっ
ぜぇ
パシン
ぜっ
オレを甦らせる
何度でもよ
ぜっ
ぜぇっ

ウソをついたのか
うでが上がらないなんて
うん
うそ
SHOHOKU 14
6
SLAM DUNK

ミッチー!!
ワアアア
うおお!!
ぐっ…
湘北
(神奈川)
3:16
山王工業
(秋田)
SEIKO
64
2ND
74

10点差っ!!
10点差ァーーッ!!!

＃262
1対2

なかなかいいパスだ
ぜ
ぜ
むっ…

し………
しぶとい………!!

ぜ
ぜっ
ぜ

なんだこいつら…
また10点差まで追いついてきたぞ……!?
なんなんだ!?

あの11番だ……!!

自分で得点は出来ないまでも
引きつけて パス出す事で周りをうまく生かしてる

流川を中心に
チームが うまく
機能し始めてる
………!!

あいつめ
いつの間に パス
なんか覚えた…

流川といい
桜木といい
こいつら…

どんどん
変わって
いきやがる…!!

美紀男 桜木が どこに いるか教えろ
え……
は…はい!

いいぞ!! 花道の意味不明な動きが気になってるな 沢北
さつきのチャージングか…

あんなの 10回に9回は 花道のファウルに なるとこだ
しめしめ…
1回が たまたま 最初に来た だけなのによ… くつくつ

花道! ディフェンス 1031だ!!
ぬ?

1031…?

考えろ 考えろ 沢北
……
はっ
キラーン
1031…

ビ
沢北 余計なこと考えるなピョン
いつも通りやれピョン
!
はい
くそっ
ピョン吉め
ん?
ド
ン
ッ
!!

ビ
おお!!
はえええ!!
さすが!!
無力!
あまりに無力!

中まで切れ込まない!!
やはり気になってるのか!?
ああ

!!

得意のシュートを——

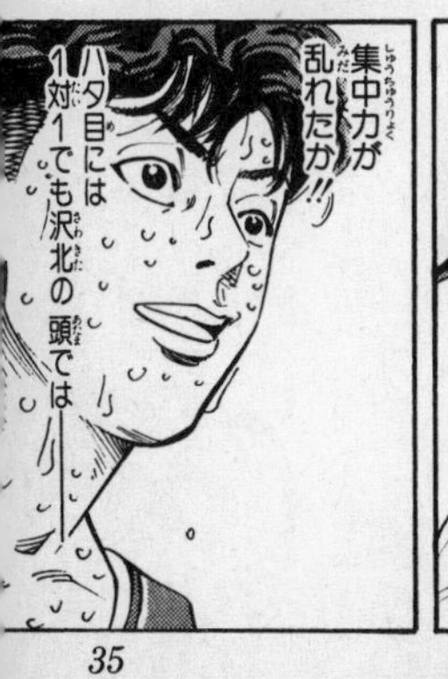
集中力が乱れたか!!
ハタ目には1対1でも沢北の頭では——

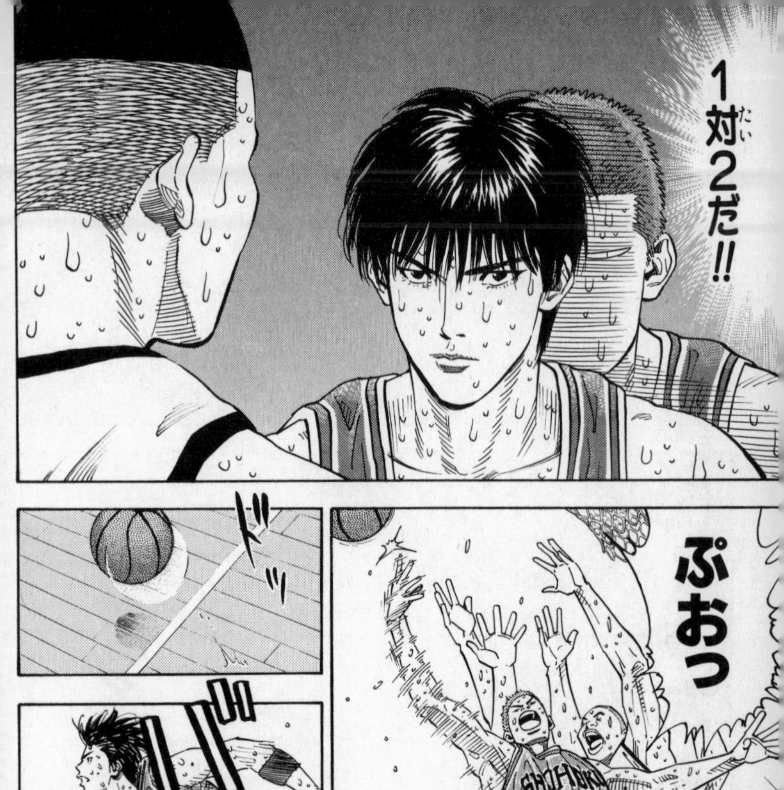

ドッ

バーン
チィッ
ああ!!

ピッ
赤!!

うまい!!
よォし!!
この1本大事にいこう――っ!!
おおおおお

ワーーーー
それにしても堂本さんはT・O・とらないな…
2コあるんだから1つくらい この辺でとっても……
湘北の方が100倍T・O・が欲しいとこですよ
ここでとったら向こうが喜ぶ
ああなるほど…
あいつら自分達で何とかしますよ
今までもそうだったように
…………
…………
じわり…
ハア
ハア

ザワ
!!

……!!

……!
11番!!

次は何やる…?
……
……
かっこいい…

キュッ

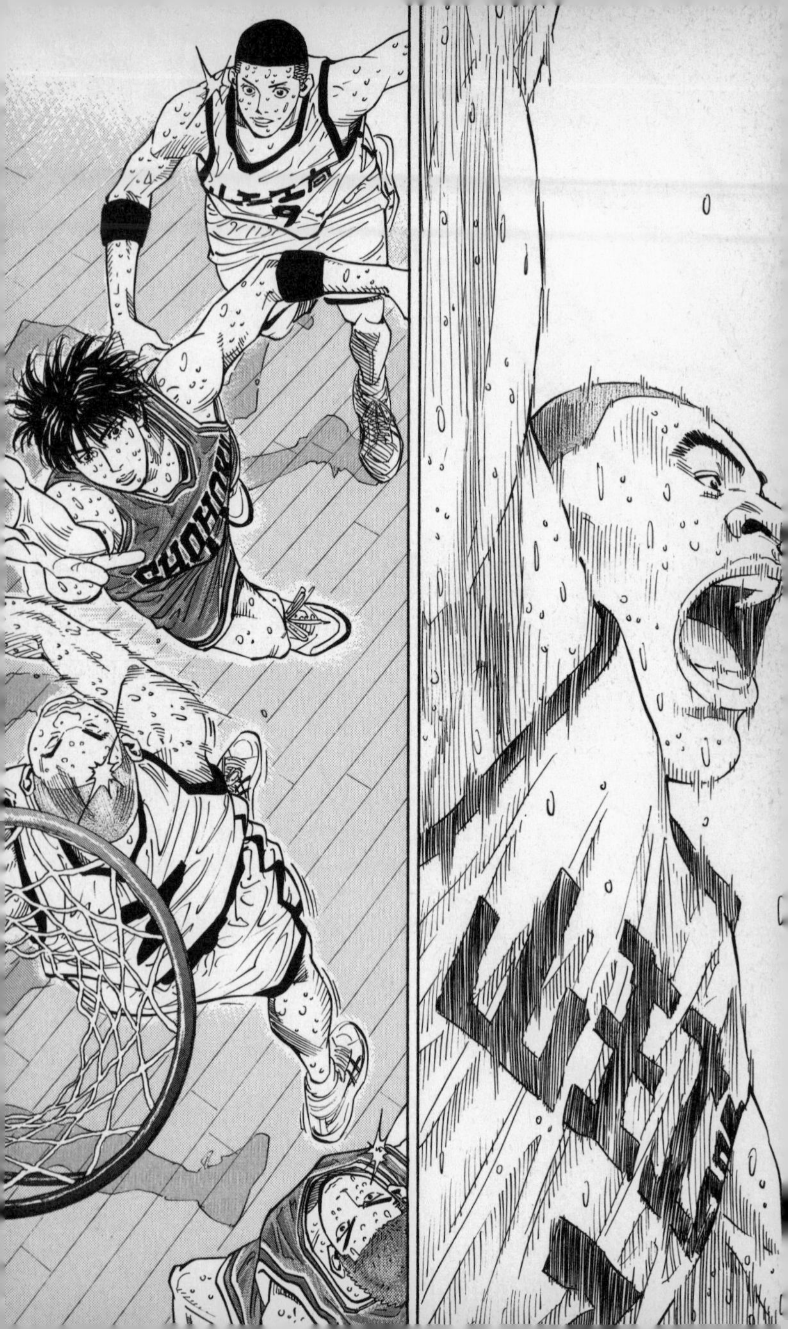

!!
こいつ!!

SLAM DUNK

一理（いちり）ある

あれは――

ヘナチョコシュート!!

沢北（さわきた）がアメリカ遠征（えんせい）の時（とき）ブロックをかわすために身（み）につけた

パ
スッ
ルカワめ!!
山王工高
9

SHOHOKU
11
♯263 一理ある

こつ…
この男…
はぁ
はっ
はっ
はぁ
はっ
はぁ
底が知れん!!
はっ
はぁ
はぁ

8点差!!
うおおおおお
8点!!
1ケタだあ——っ!!!
残り2分50秒で
8点なら
わからない…
可能性が
出てきた!!

湘北
(神奈川)
2:50
山王工業
(秋田)
SEIKO
66
2ND
74
うおしゃあ!!!
ちったあうれしそうにしろい!!
ぐっ

とうとう自分で決めやがった!!
あの沢北相手に
あの1年生エース…!!

もはや沢北と同等!!
下手すると喰われるぞ沢北!!

流川君
ワアアアアアアア

はあっ
はあ
はっ
はっ
はあっ
はっ
はあっ

はあ
はあ
はあ
はあ
はあ

……
ググ

じわ…

ちら

湘北（神奈川）
66
2:46
SEIKO
2ND
山王工業（秋田）
74

3分切ってるじゃないか
この時間帯でウチが追い上げられているなんてことは

この数年記憶にないなぜなら…

最も苦しいこの時間帯にこそ本物の強さが問われるからだ
チーム1人1人の精神的強さが

ゴリ

?
はっ
はぁ

ルカワは また抜かれるぜ……
はぁ
はぁ

はぁ
はぁ

……
ひそ
ひそ
ひそ

……!!

バ
ッ
キュ!!

山王も　どこまでも沢北の1on1にこだわるな!!
PRESS SE
プレス席
やりすぎでは!?
しかし先輩である深津・河田が何も言わないのは…!?
信頼です
エースとしての

大エースゆえの特性か……!!
そらきたぞっ!!

9
ああ!!
……

くそっ!!
花道 今度は突っ込むぞっ!!

ふらあ!!

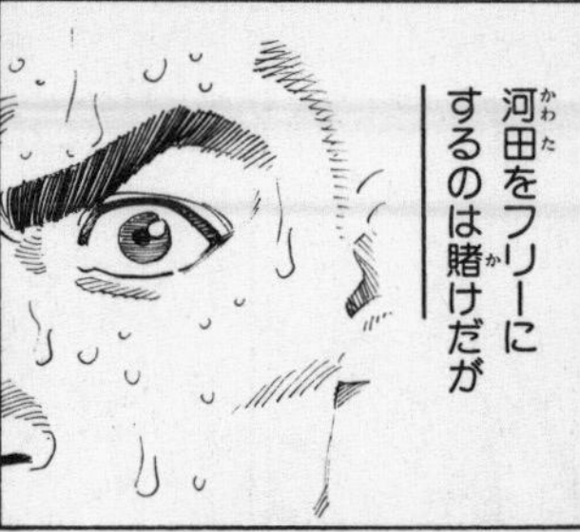
河田をフリーにするのは賭けだが

はっ
はっ
奴はパスしねえ

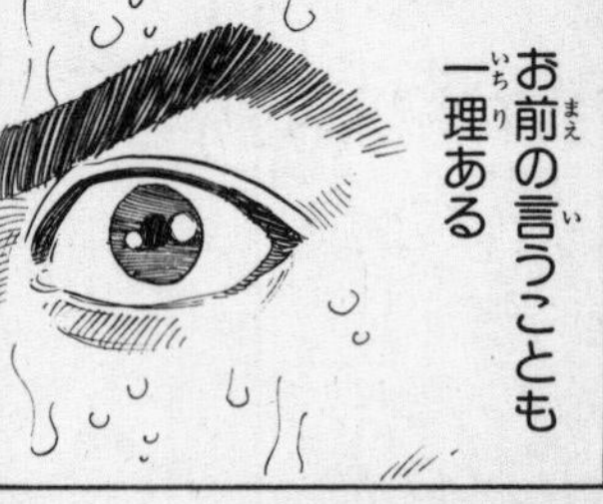
お前の言うことも一理ある

はぁ
負けたことがねーからだ
はぁ
はぁ

今だ
ゴリ!!

ぬっ

ほうっ!!
バコ!!

!!
ようしゃあーーっ!!!
!!

わかる?
ここね
ここ
天才
SHOHOKU
10
SLAM DUNK

♯264 救世主

エース沢北を
ブロックしたあ——っ!!!
見たか!!
天才の作戦ズバリ的中——っ!!!

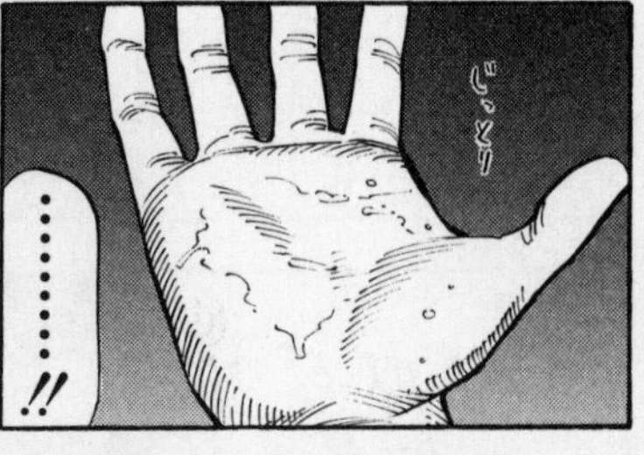
じっとり
……!!

ワァ
……
ワァ

ワァ
ワァ
ワァ

ハア
ハア
ハア

ハア
ハア

あと2分ちょい
湘北 (神奈川)
2:24
山王工業 (秋田)
66
SEIKO
2ND
74
8点差!!
湘北ボール!!
ワァ

ゴリ！
まだいけるよな!!

!!

ぬっ!?
ゴリ!!
追いつけるだろ!!

…………
湘北
立
まだいける!!
まだ追いつける!!
まだだ!!
あ!!

ああ…戻れえっ!!

おいゴリ!!聞いてんのか!!
はっ

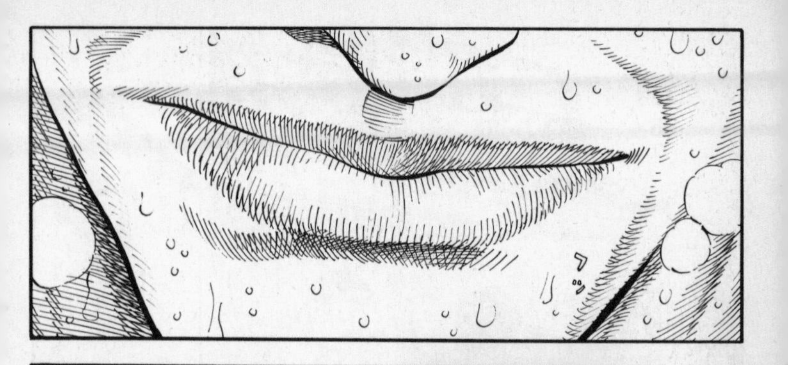
ハッ

ああ!!
まだいけるぞ!!
そーだろ

いけるぞ!!
ワア
行けええ——っ!!
ワア
ワア

気をつけろよ宮城!
アア
ア
相手が　いけるってムードの時こそ仕事するのが……

深津って男だ!!

バッ
SHOHOKU

……!!

でかした
深津!!

ああ!!
……!!

オレにあたってる!!
頼むとってくれっ!!

……

三っちゃん!!
三井さん!!

あきらめるな!!
ぜえっ
ぜえっ
あきらめるな———っ!!

どけ!!
バチ!!

SHOHOKU
14

!
うお
危(あぶ)ないっ!!

初心者だけど…いつかバスケ部の………
救世主になれる人かも知れないよ…お兄ちゃん!!
桜木君っていうの――

SHOHOKU
11

生きてるっ
ボールは生きてるっ
!!
赤頭は生きてるか!?
ピピッ
レフリータイム!!

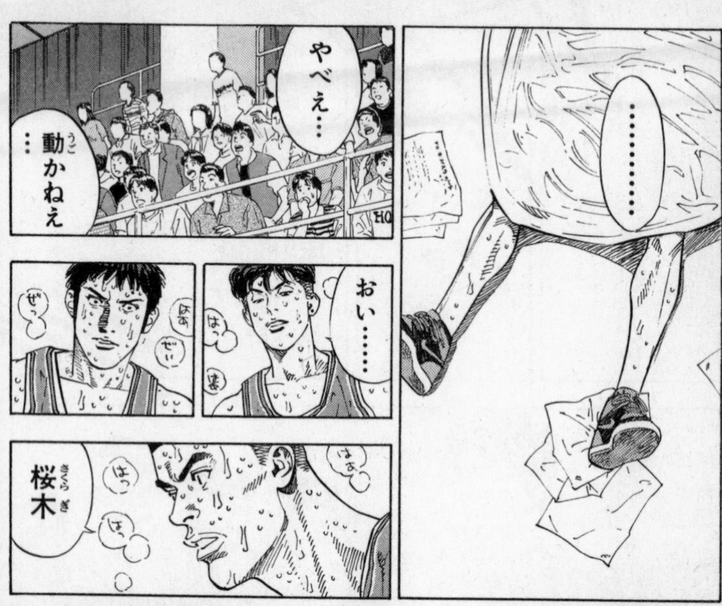
…………
やべえ…
動かねえ…
おい……
はっ
桜木
はっ
はっ

………

いい仕事したぜ
下手なりに
ピクッ
流川君――

だれがヘタナリにだコラァ!!
SHOHOKU
10
桜木!!
おお!!
生きてたのか…?
ガルッ
たりめーだ!!

ホっ

できるかね?
ガルル
おうよ

その時だつた——
この1本大事だぞ湘北——っ!!
ん?
誰だ…?
Ta.
がんばれ湘北!!
山王ファンばかりのはずの
観客に変化が起き始めたのは——

SLAM DUNK

指図

＃265 指図

アアアアア

ワァァ

な…
なんだ
これは…!?
湘北ーーー!!
ほとんど
山王ファン
だったはず
………
でも
わかるよ……
確かに……
湘北ーーーっ

湘北の このどたん場の強さは…
湘北
(神奈川)
2:17
山王工業
(秋田)
66
SEIKO
2ND
74
まるで いつもの山王のようだ………!!

何度つきおとせば
あきらめるんだ……

後半開始早々の
ゾーンプレスで
20点差……

しかし三井の
連続3Pで
はいあがり…

何度つきおとせば
あきらめるんだ……
湘北!!

なんだ…？
驚くべきことに
館内の声援は
ワァァァ
山王
山王!!
湘北
湘北と山王が
半々くらいにまで
なっていた
湘北ー!!
ワァァ

バッ
ダッ

ダンナ
勝負っ!!

この期に及んで
ダンナに1年坊主を
つけてんのは
致命的ミス
じゃねーか!?
はぁ
はぁ

ダッ
おうっ!!
ふあ!!
バカタレェ!!
何度もやられんな!!
ババ
!!
ぬおっ!!
ビッ

フェイダウェイ!!
うまい!!

ピク

ガッ

!!

ぬっ!!

リバー

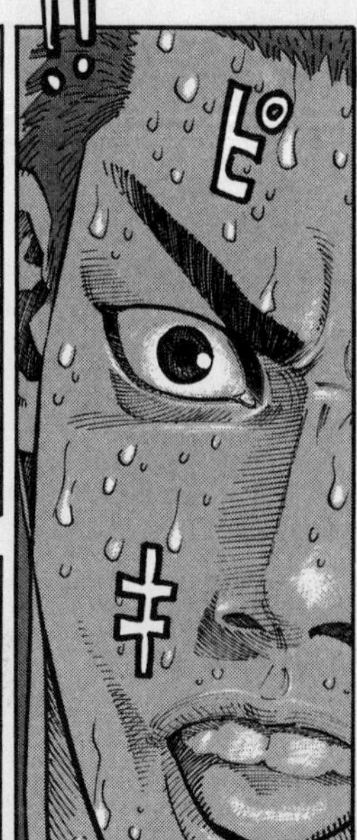
!!
ピキ
ッ

ビ
シッ
……

む……

……!!

バ
シ
ッ

ぐぬっ
ズ
ダ
ッ

…………?
ハア
ハア
ハア
ハア
ハア
ハア

せ………
背中が痛え…!?

…………
よーし1本!!
おう

河田の奴 常に弟を見てる
ハァ
ハァ
ハァ
ハァ
いつでもヘルプに行けるように……!!

赤木がフェイダウェイ!?

バカめ!!
まだ河田が恐いのか!!

ハァ
ハァ
ハァ
ハァ
ハァ
ハァ

ビキキ

さっきつっこんだ時か……!?
つくえに

……

集中力が足りん
SHOHOKU
11
SHOHOKU
10
NO FAN

あ!?
はあ
はあ
はあ
はあ
はあ
な……
何言ってやがる
この集中の鬼
桜木に……
HOKU

どーだか
あん時の方が
まだマシ
だったぜ
SHOHOKU
10
11

……?

オレに全力を出させたんだからよ

はっ
………!!

それとも交代するか
だっ…
誰がだ!!

ハァ
ハァ
…………
ハァ

県ベスト5だか新人王だか知らねーが…
てめーは絶対オレに勝てるっていえんのかよ
負けたらどうしようって思ってるだろ
くっくっ
……
フーッ

バッ
チッ
あっ!!
……
キュッ
どあほうが…
……

あっ!!
ああ!!
あーっ!!
まだだ!!
まだ
まだァ!!

必死でついてこい
交代しねーならよ
!!
…………
えっ…
えっ…
えらそーに指図すん…
ピキッ
!!

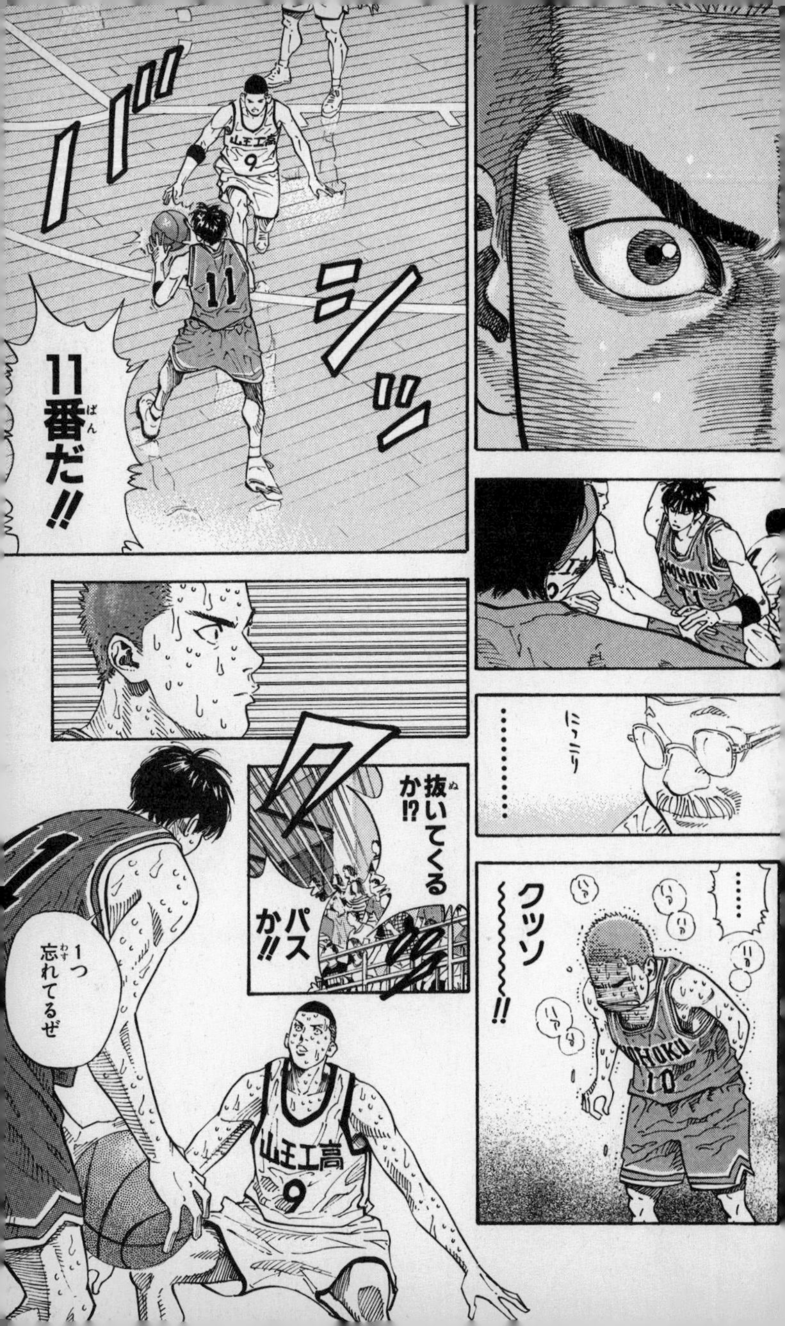
11番だ!!
……
にっこり
……
クッソ〜〜〜〜!!
抜いてくるか!? パスか!!
1つ忘れてるぜ

！
ビッ
SHOHOKU

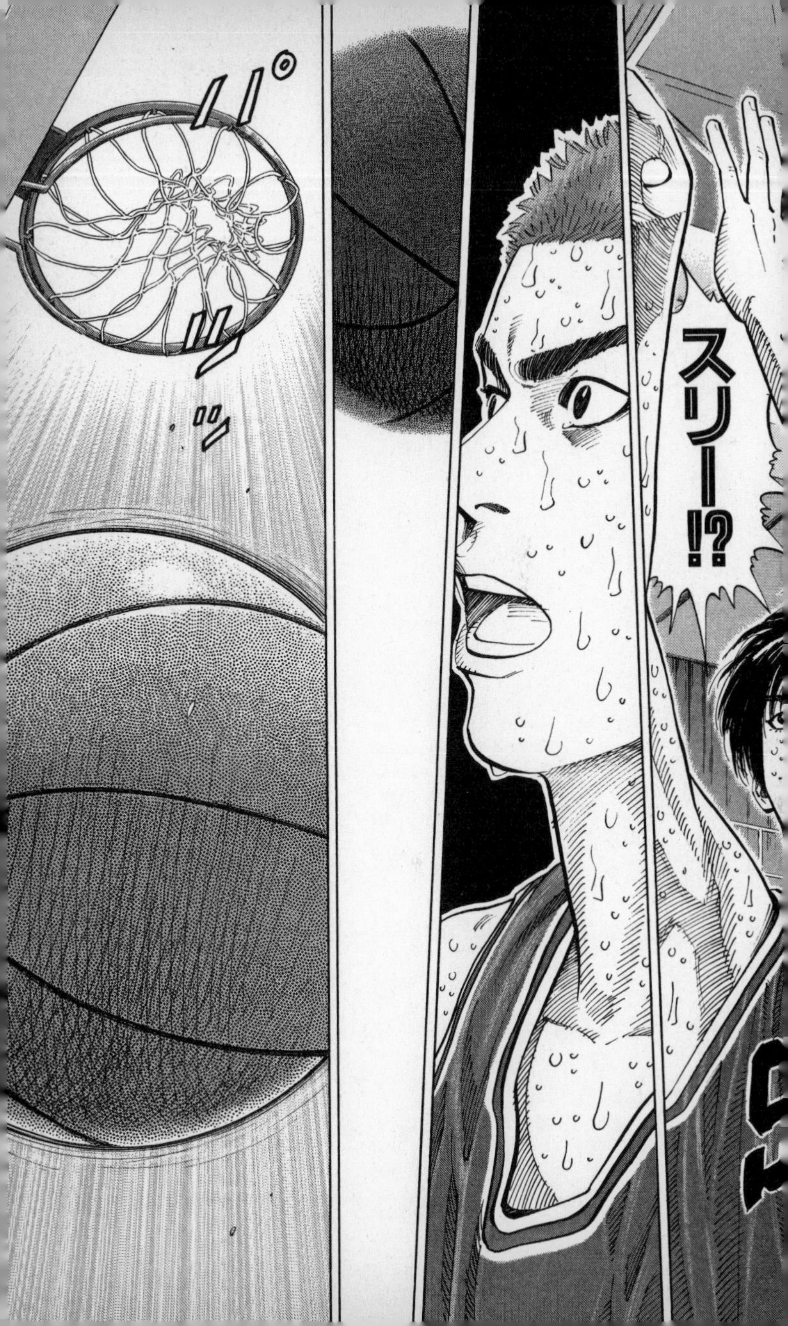
スリー!?
パ
ツ

見たか
にょきっ
うわっ
危ねーな
何だこれい!?
SHOHOKU
11

SLAM DUNK

原点

ワァァァ

…………

ああ もう勝負はついちゃってるよね…
今終わったのかも ……この歓声は

ああ 見たかったなあ あの山王工業を
あたしだって バスケ部なんだから
STAFF

キャプテンの深津さんに
河田さんでしょ
それに エース沢北さん

一目だけでも………

……
ガタ…

ダッ
STAFF

!!

湘北
(神奈川)
66
1:59
SEIKO
2ND
山王工業
(秋田)
74

8点差!!
たった!?

5点差──!!

ワァァァ
決めやがったあ――!!
3P!!!
何て野郎だあっ!!!
ワァァ
ドワー
チャージドタイムアウト
山王!!!
うそォ…

ザァァァ
ザァァ
ナンバー
♯266 原点
げんてん
よーーしっ
流れはウチだ!!
うぉおおお
誰が何と言おうと
ウチが山王を押している!!

うおおおおっ!!!
バッ
バッ
ゼェ
ゼェ
チョ
スタスタ
あーーん もう
どーして!?
スタスタ
ちっ
ビキッ
ぐぬ!
むっ……
ピタ
ぬ……

やべえ……
どんどん痛くなってくる……!

……?
どっか痛いの?桜木花道

イヤ背中がちょっと…

!!

さあ こっからが湘北 炎の追い上げだぞ!!
気合入れろ!!
おお〜〜〜
そのとーり

こいつらも全くあきらめちゃいねえ…!!
相手は山王だというのに!!

……

はぁ
はぁ
はぁ
はぁ

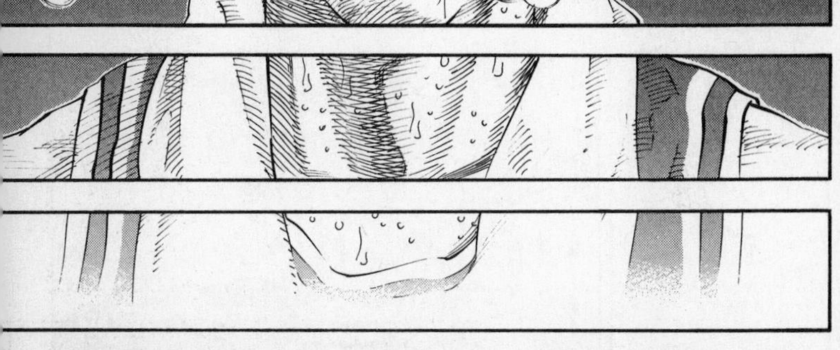

やっぱり……
ここにあったか

これを忘れるとは

ははは
ワイ ワイ
ガラ

ねえ
西川君たち
部活はいいの？
総体近いんでしょ
ワイ ワイ
補習で
遅れるって
言ってある
オレは追試
ってことに
え――
ウソじゃん

赤木君に
おこられるよ
コワいよ――
大丈夫
根が単純
だから

はっきり
言って……
あいつには
ついてけねーよ
武士だもん！
なんか あいつ

そう……今日もさ
なんか ふっるい 週バス 見せられてさ

OCTOBER
SPECIAL

コレがオレの原点であり……
最終目標なのだ…

…なのだ
…なのだ
ガラ
!

……!!

赤木
うああああーっ
ブン
!!
…………

ぎゃっ
ドシャッ

…………

はぁ はぁ
はぁ はぁ

ぐっ……
うぐ……
…………

き……
強要するなよ

ぶる
ぶる
全国制覇なんて

……!!

山王工業に挑戦したいなら
海南にでもいけばいいだろ

ここは神奈川県立湘北高校だぜ

とりたてて何のとりえもない……
フツーの高校生が集まるところさ

おまえだってでかいだけでヘタだから海南にも翔陽にも行けなかったんじゃねーか
海南だってはるか雲の上なんだ

強要するなよ全国制覇なんて

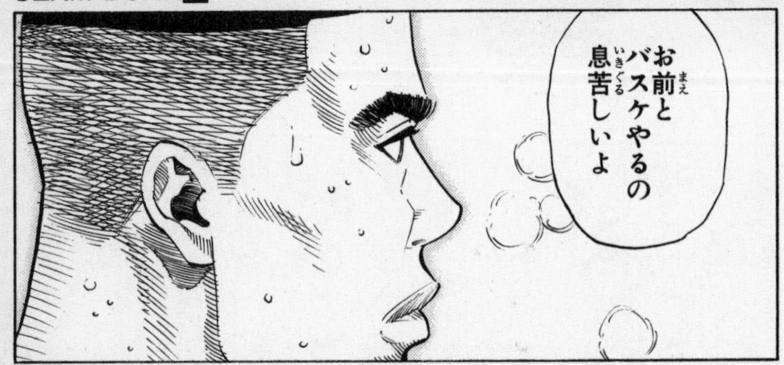
お前とバスケやるの息苦しいよ

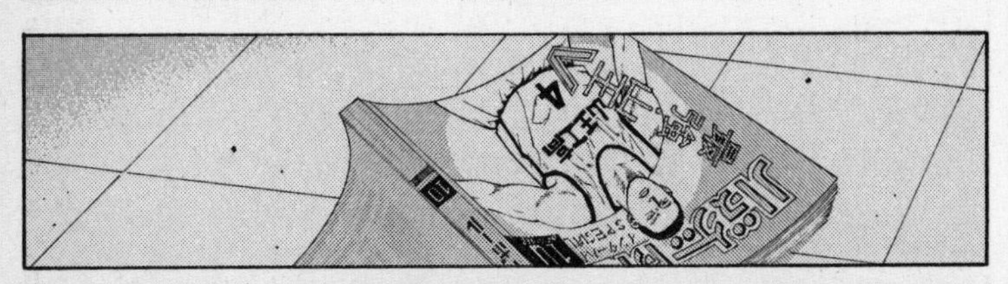

何やってたんだ赤木!!
みんな とっくに帰っちゃったぞ!!

リバウンドしてくれよ――!!
ガタ
ガタ
この机ちゃんとパス返してくれないんだ!!
はは

わははは!!

それはシュートが下手だからだ
何――っ
だから練習してんだろーっ
くそ――っ

SHOHOKU BASKETBALL TEAM
SHOHOKU BASKETBALL TEAM
…………感情的になるな……………
ワァァァ

まだ何かを成し遂げた
わけじゃない
なぜ こんなことを
思い出してる バカめ

!!

ガタッ
何泣いて
やがる!?
SHOHOKU
14
4

え？

あーーっ
何考えてんだ
ダンナ!!
ウソォ!
!?
こっから死力の
追い上げだって
ときに!!?

勝つ気が もう
ねーのか
てめーは!!
ゼエゼエ
な……

ちっ……
ちがう
バカモノ!!
うおおお!
これは
汗だ!!
汗が
目に!!

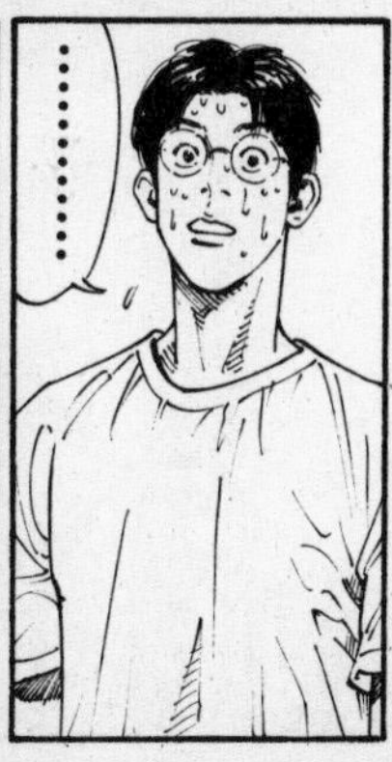

……

ふーっ
いつから そんな
ヤワに……
!!

味方の頼もしさに
一瞬 心が緩んだのか
……赤木……

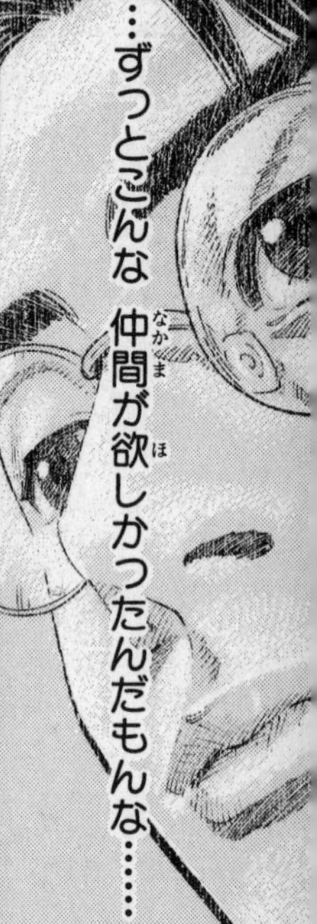
…ずっとこんな 仲間が欲しかったんだもんな……

冷静になれ!!
バチッ
バチン
勝負はここからだ!!

ぬ?

背中──

背中のどこ!?
どんな痛み!?
時々ピキッと痛くなるだけっすよ大丈夫

ピキッ
うぎ

……

選手生命にかかわるわよ…

選手生命

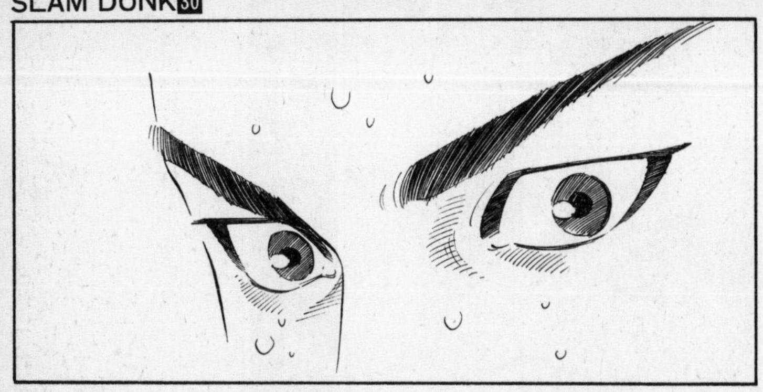

SHOHOKU
10
SHOHOKU
SHOHOKU
SHOHOKU

……バスケットは……終わりってこと…………？

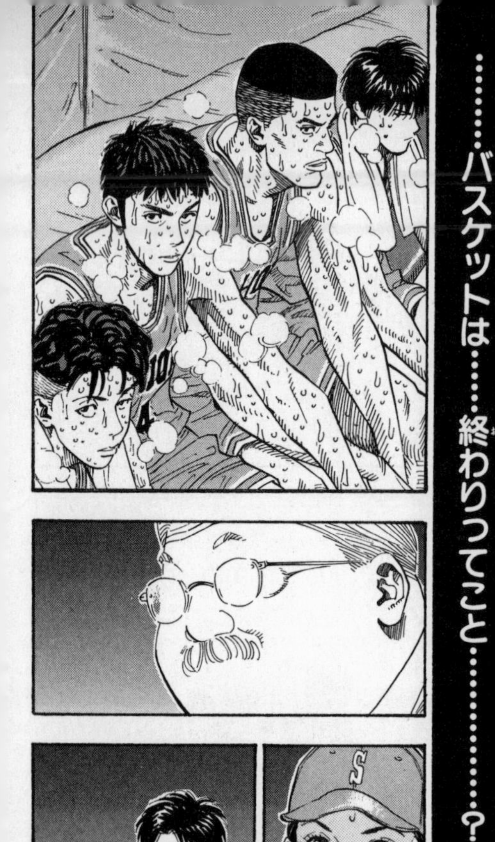

桜木!!
体は大丈夫か?

え?
はあ
はあ
はあ

あれだけ激しくつっこんで どーもないのか!?

はあ
はあ
はあ

さっきのルーズボールは超ファインプレイだ!!
あれで命がつながったよ!!

あたしは…
なぜ あの子をいたずらに動揺させるような事を…

ただの打撲ってこともあるのに

でも…

背中のケガは選手生命にかかわるわよ
選手生命……
選手生命……

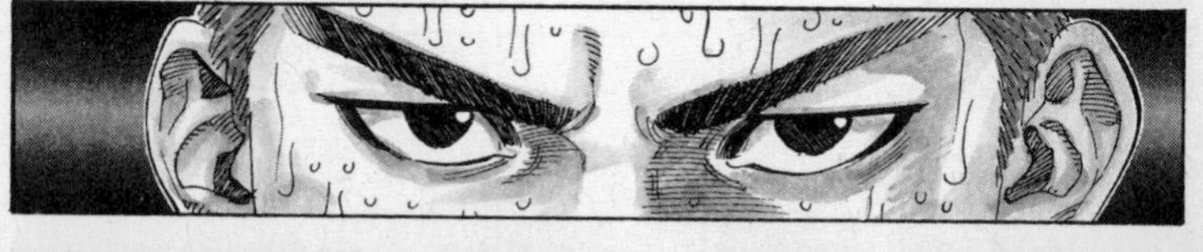

選手生命・・・
終わりだ

えっ？

……!!

……
LOVE RUKAWA
スタ
スタ…

――庶民(しょみん)ならな

わははは
はーっはっはっ
この天才 桜木を一般人と一緒にされちゃ困る!!
何度いえばわかるんだね!?

おお〜
不死身だ!
不死身!!
今泣いてただろうゴリ
むっ

試合中に泣くなよ恥ずかしいから
うるさいわバカタレェ!!
そーだそーだ

…………。。。

湘北
(神奈川)
1:59
山王工業
(秋田)
SEIKO
69
2ND
74

あと2分…
はぁ
はぁ
はぁ
はぁ
2分!!

おいオヤジ
逆転できるよな!!
お!?

もちろんです

桜木君がこのチームにリバウンドとガッツを加えてくれた

ぬっ?

宮城君が
スピードと感性を

三井君はかって混乱を
ギク
ほっほっ……のちに知性ととっておきの飛び道具を
流川君は爆発力と
勝利への意志を
Ta.

赤木君と木暮君がずっと支えてきた土台の上に
これだけのものが加わった

それが湘北だ

SHOHOKU

さあいけえ!!
湘北!!
山王!!
山王!!
山王!!
湘北!!

ハァ
ハァ

ハァ
ハァ
ハァ
ハァ

オレたちゃ別に仲良しじゃねえし
お前らには腹が立ってばかりだ
あ？

だが…
ハァ

このチームは…
…最高だ……

だが
なんだよ
いや…
ありがとよ…
あ？
お？
バカヤロウ!!
オレは
自分のために
やってんだ!!
ガガガガ
てめーの
ためじゃねえ!!
何が
ありがとう
でい!!
ぐっ…
ガ
そう!!
自分のため!!
自分の
勝利の
ためだ!!
ピピピッ
早く
出て!!
オ
さあ
いくぞ!!
ファ

絶対勝──っ!!!
よしいけえ──っ!!
おお!!!

おっ!!

ダム…
ダム…

深津のポストアップ
ミスマッチを生かした攻めか!!

イヤ そう見せてパスする相手を探してる
あくまで こいつは攻撃の起点だ

しかし なぜこんなに落ちついていられる……
追われる側のプレッシャーがあるはずだ…なのに
まるで気負いがねえ!!

!!

あっ ターン!!
レイアップ!?

おお

!!

河田フリー!!

だら!!!
!!

最強・山王の体力

最強山王――!!
うし!!
ズバ
ドダッ

＃268 最強・山王の体力

山王工高
お!?
!!
!!
!!

キュッ
ゾーンプレス!!

うわあああ──っ
ちっとも疲れてねえ!?
底無しの体力だ──っ!!
ワアアア
堂本君……!!
リョータッ!!
宮城ィ!!
くっそ──!!
抜けないピョン
んだとォ

なんて男だ堂本五郎!!
この場面でゾーンプレスだと!?
負けてる方が仕掛けるならわかるが
湘北（神奈川）
山王工業（秋田）
69
1:40
SEIKO
2ND
76
引いてきっちり守れば逃げ切れる時間と点差だ!!
ぐぬっ…
くそっ 抜けねえ
ハァ
ハァ
ハァ
ハァ
もうキレがないピョン

きれいに逃げ切る気など毛頭ない
最終ラウンドまで打ち合いを挑むよ

それが無敗のあいつらの
最も得意なスタイルだからね

宮城さん!!
ああリョーちん!!

リョータッ!!
抜けえ男だろっ!!

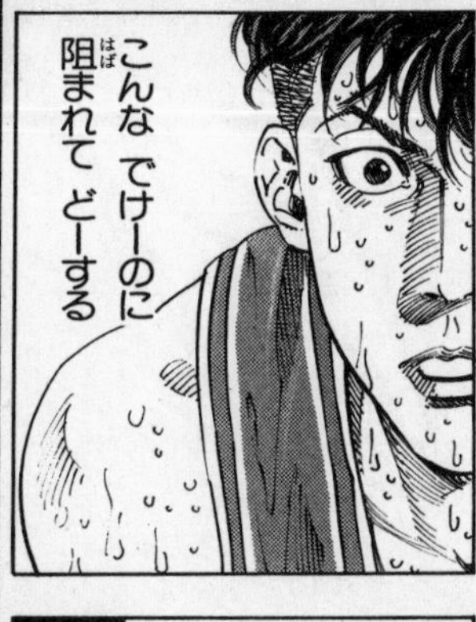
こんな でけーのに
阻まれて どーする

ドリブルこそ
チビの生きる道なんだよ!!

!!

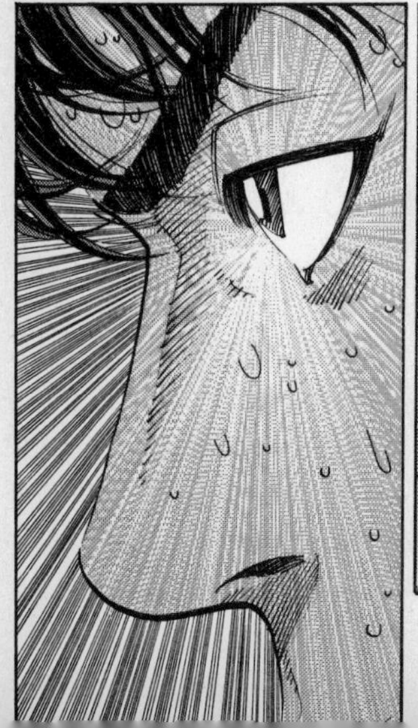

!!
!!
おお!!
すげえ低いドリブル!!
抜いたっ!!
おっしゃあリョータッ!!

♡アヤちゃん
前見ろバカモノーッ!!
おっ
戻りが早い!!
速攻はムリだ!!
…完ペキなDだ……
ぐ……
残り1分半!!
おい時間がねーぞっ!!

7点差って事は
最低でも あと3回は
入れないとダメだろ
3Pがあってこそ
ハァ
ハァ
そうだ
しかも1本も
入れさせ
なければね
なんか
変だ
厳しいじゃ
ねーか!!
オイ!
……は
ムリだ!
ああ!
とても花道
なんかが
どーにかできる
状況じゃねえ!
えっ!?
花道
──っ!!
いや
それより……
あいつ

ハァッ
ハァッ
ハァッ
ハァッ
ハァッ
SHOHOKU

いてえ……
やっぱ
いてえ……
何だよ これは

無理はいかんぞ
赤坊主…

…………!!

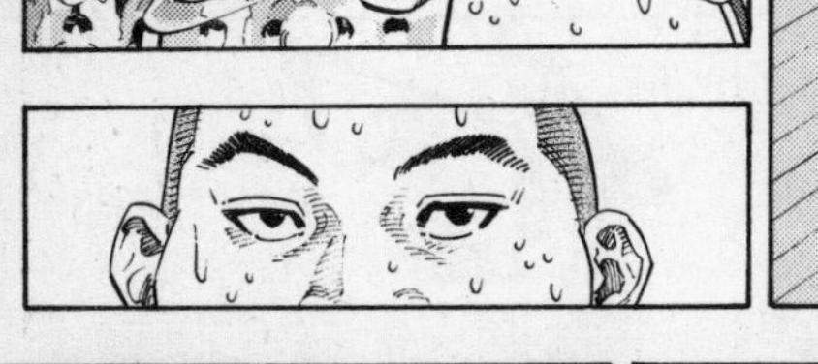

お前には
将来がある

丸ゴリ――!!

むかってくるなら
手加減は　できねえ
男だ
俺は

!!

丸ゴリめ
…
気づいて
やがる!!
山王工高
7
10
選手生命……

湘北
(神奈川)
69
1:20
SEIKO
2ND
工業
(秋　田)
76
ディフェンス!!
ディフェンス!!
ディフェンス!!
いいDだ!!
誰一人手を抜いてない!!
オフェンス!!
オフェンス!!
オフェンス!!
湘北はパスを回すばかりで攻めきれない!!
尊敬するで……
山王……

こういう時は赤木しかない

赤木!!

弟は お前の相手じゃねえ!!
しかし兄貴が恐ろしい速さでヘルプにとんでくる

ヘタクソなフェイダウェイで逃げるんじゃねえ!!
体を張れ!!

むかっていけ!!
むかっていけ!!

それがお前のプレイだろーがっ!!

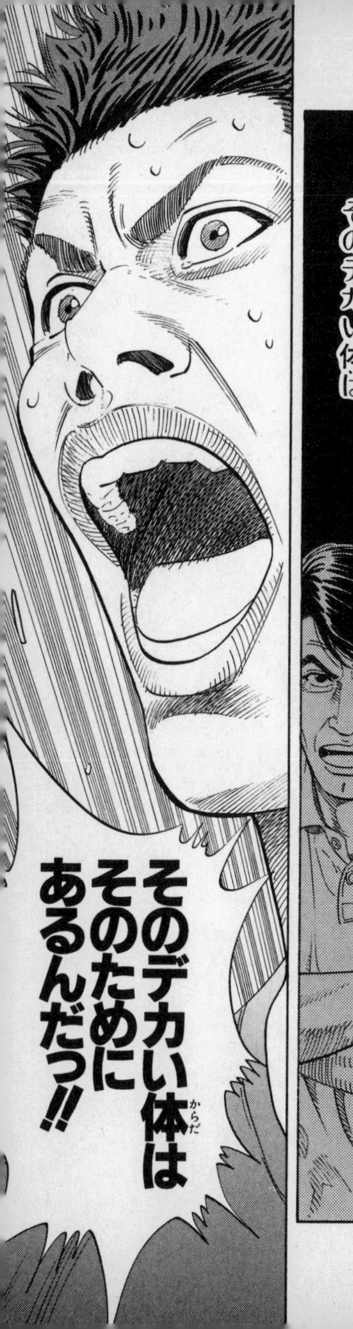
そのデカい体は
そのデカい体はそのためにあるんだっ!!

うおおっ!!
SHOHOKU

ぬうっ!?
ガッ
ガシ
パァイ
おおおっ
!!
よォーしそれでいいんだよ!!
落ちてもお前の勝ちだ!!
ガ
ン…

入ってろ!!
ふんが!
!!
キ
ピ

!!
天才薄命

なっ……
何…!?
T.a.

桜木君ーーーー!!
SEIKO

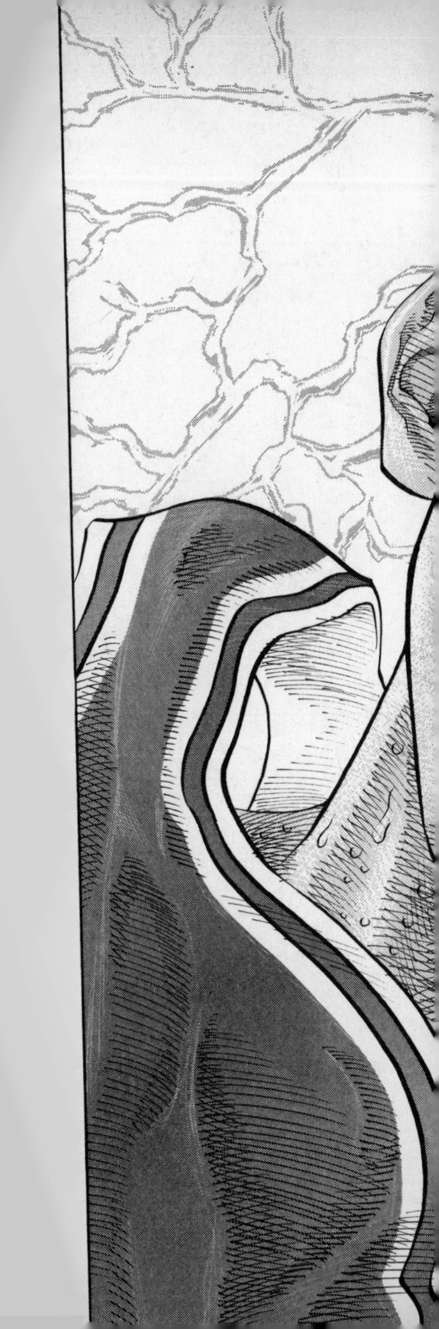

ピ ピ ピ ピッ
ノーカウント!!
ファウルの後!!
いや!!
たとえそうでも—
赤木が河田を恐れず向かっていったぞ…!!
そして桜木のスーパープレイだ!!
これで追う湘北は盛り上がるぞ!!

えええーっ!?
ああ!!
フリースロー!!
最後の追撃だ!!
ラスト1分!!ここは絶対落とせないぞっ!!
よォし頼むぞ赤木ーっ!!!
……!?

!?
ザワ
ふらっ

ザワ
F・T・は4番だよ
オレのF・T・だ桜木!!

フラ‥
フラ‥
ザワ

?
ザワ
ザワ

ユラリ…
SHOHOKU
!!
ガ
ド!
山王工高
9

ノーカウントだと…
ふざけんなよ…
この天才の…スラムダンクを…
必死でついてこい
うるせーっ
キツネ
ルカワ
てめーなんかいずれ倒してやるつもりだったんだ
ああ
ちょっと待て
オレは交代はしねえ
SHOHOKU

痛え
はっ…く
……
さっきのルーズボールにつっこんだ時に痛めてたんです…!!
アヤコさん…
どっ…どこを!?
ザワ
ザワ
ザワ
ザワ
言わないで
背中――!!
はぁ
ぜい
はっ
はぁ
はあっ
はあ
…………

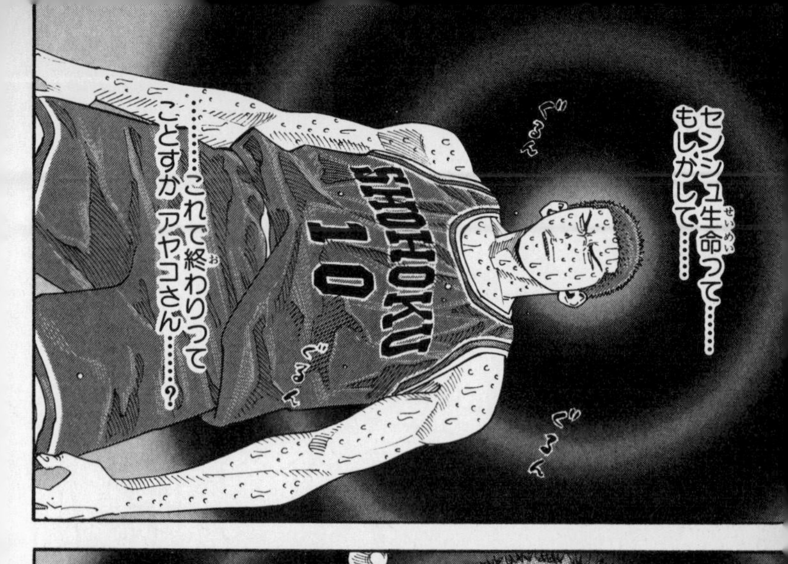
センシュ生命って……
もしかして……
……これで終わりって
ことすか アヤコさん……?

これで終わりっすか…?
…………バスケット

もうバスケットは
……できないってことすか……？

…これで終わりって
いう程のケガでは
ないはずよ
……ケガの後
しばらくは動けた
ことを見ても
………ただ
ただ――

……あの子は
わずか4ヵ月で
異様なほど急速に
力をつけてきた
置いてくる!!!
いろんなものを
身につけてきた

治療やリハビリにもし時間がかかるなら
プレイから長い間離れてしまったら
それが失われていくのもまた早い

この4か月が

まるで
夢だったかのように……

SHOHOKU
パスッ

よォーし!!
赤木!!
湘北
(神奈川)
69
70
もう1本!!
2ND

次入れねえと殺すぞ!!
はぁっ
はぁ
はぁ
はあっ

おう!!
コロセ
ほっ
ほっ
ほっ
ガッ

ほっ
はっ
ガッ
はっ
はっ
はっ
はぁ

はっ
はっ
はっ
はぁ
はっ

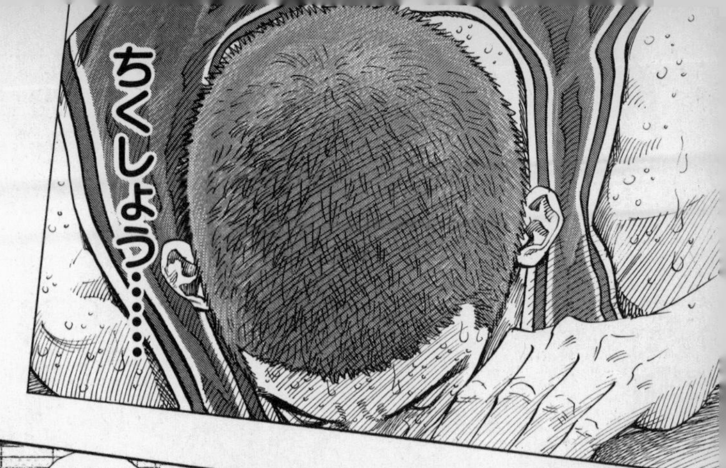
ちくしょう……

ぬあ!?
?
ギュッ
ギュ

それが出来れば君が追い上げの切り札になる…!!

僕の念も込めといたから!
頼むよ桜木君!

あ…?

僕も
ギュッ
ギュウ
オレの念も
オレも
なんだなんだてめーらっ!!
吸いつけ吸いつけボール〜〜っ

………!!

リバウンド王全国デビュー!!!
バッ
チッ
っしゃあ!!
バッ
チッ
おおーーっ
たけえぞ
赤アタマッ!!!
ファインプレイだぜ花道!
ファインプレイ…
どどーーん
でかした桜木っ!!
ぬ?
おおーーっ
しゃあ!!
天才!!

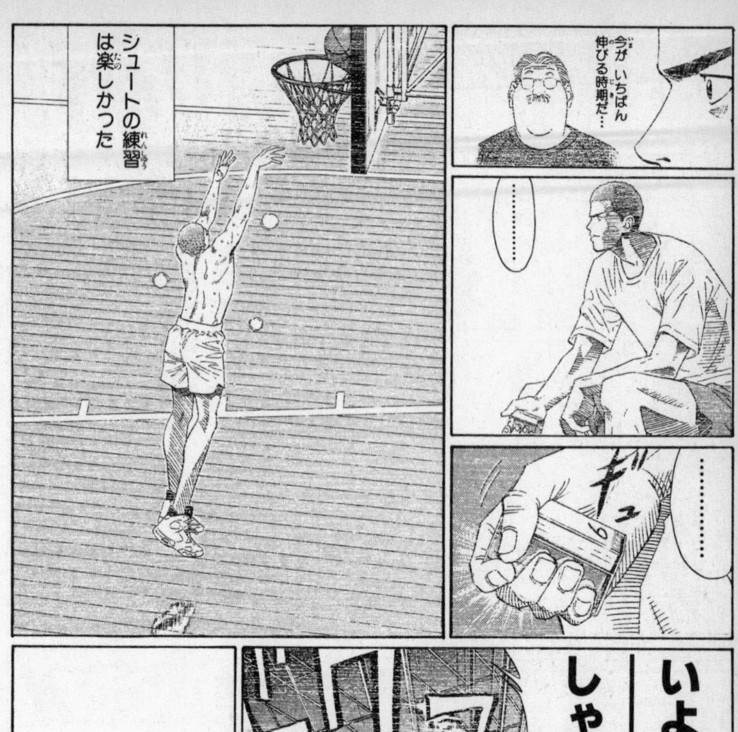
今が いちばん
伸びる時期だ…
……………
……………
シュートの練習
は楽しかつた

いよォ
しゃあ!!!
ジィン…

!!
そーよう!!
リバウンド王
桜木よ!!
代わりは
おまえだ
よォーーし
そうだ!!
惜しかったな
てめーにしては
スタートは
赤木君 三井君
宮城君
流川君
ドキッ
桜木君
!!
たたき
つける!!!

オレ…
なんか上手く
なってきた…
早起きして
よかったー

2万本だぁ
ーっ!!!
終わったぁ
ーっ!!!

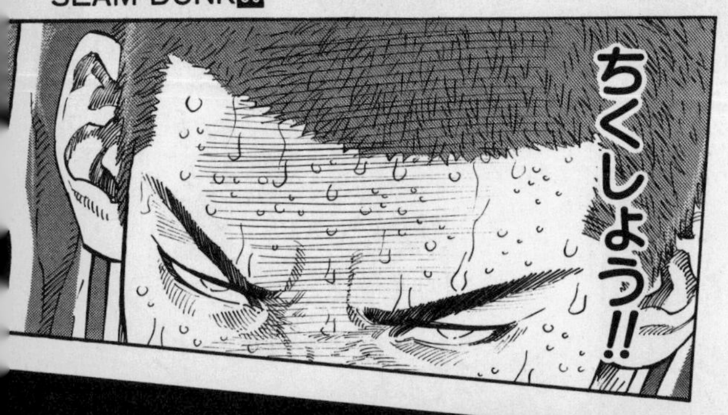
ちくしょう!!

バスケットは…
好きですか?

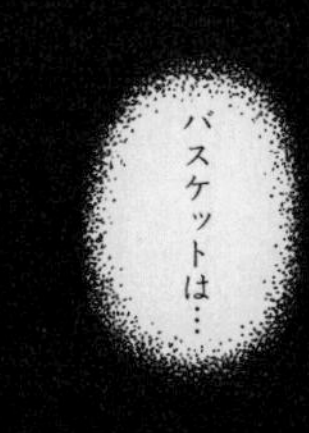
バスケットは…

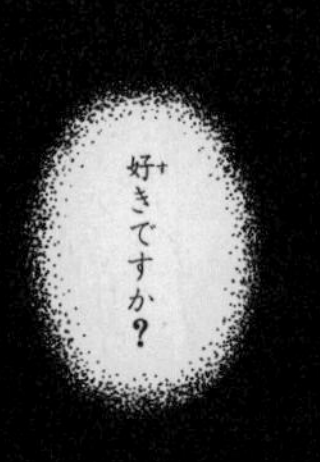
好きですか?

大好きです

今度は嘘じゃないっす
Ta.
30選手生命(完)

■ジャンプ・コミックス

SLAM DUNK－スラム ダンク

30 選手生命

1996年8月7日　第1刷発行
1999年6月19日　第20刷発行

著者　井上雄彦

編集　ホーム社
東京都千代田区一ツ橋2丁目5番10号
〒101-8050
電話 東京 03(5211)2651

発行人　山下秀樹

発行所　株式会社 集英社
東京都千代田区一ツ橋2丁目5番10号
〒101-8050
03(3230)6233(編集)
電話 東京 03(3230)6191(販売)
03(3230)6076(制作)
Printed in Japan

印刷所　廣済堂印刷株式会社

ISBN4-08-871850-X C9979